Einleitung

Es ist etwas Wahres an dem stereotypen Image Hollands. Es ist ein Land der Windmühlen, der Tulpen und der Holzschuhe – aber es gibt noch viel mehr. Wasser ist überall; in den grossen Seen im Norden des Landes, im Rhein, dem Lek und in der Vechte, die durch Utrecht fliesst, aber auch in den zahllosen Kanälen, Gräben und Wasserläufen, die die endlosen Flächen ebener, grüner Felder dränieren.

Der Holländer nimmt das Leben ernst, ganz gleich ob er zu Hause, an der Arbeit oder auf Reisen ist. Er muss es sogar ernst nehmen, denn über ein Viertel seines Landes wurde dem Meer abgerungen. Daher muss er dauernd auf der Hut sein, um zu verhindern, dass das Meer dieses Land zurückerobert. Die Nordsee ist eine ständige Gefahr. Es werden immer wieder Pläne gemacht, wie z.B. das ehrgeizige Delta-Projekt, um diese Gefahr abzuwenden. Holland ist aber nicht nur ein Wasserland, sondern auch ein Land der Blumen. Jedes Jahr werden die flachen Polder südlich Haarlems durch die Blumenzwiebelfelder in ein Kaleidoskop von Blumen in allen Farben und Varietäten transformiert.

Am besten wird das Land auf dem Fahrrad erkundet. Die Holländer besitzen elf Millionen Fahrräder – fast eines pro-Kopf-der-Bevölkerung. Wohin Sie auch immer in Holland gehen, ein Radweg wird nie weit entfernt sein. Ganz gleich ob Jung oder Alt, das Fahrrad wird in der Stadt und auf dem Lande bei jedem Wetter benutzt.

Im ganzen Lande gibt es zahlreiche Windmühlen. Wurden sie in früheren Zeiten als Pumpen verwendet, um das überschüssige Wasser aus den Feldern in das Meer zu pumpen, so sind heutzutage viele dieser Mühlen eine populäre Attraktion für Touristen, entweder in ihrem ursprünglichen Zustand oder in Freiluftmuseen.

Die Niederlande sind in zwölf Provinzen verteilt, deren geschichtlicher Hintergrund, Tradition, Lebensstil, Atmosphäre und Attraktionen sehr verschieden sind. Von der Weltstadt Amsterdam, mit ihrer heiteren Lebhaftigkeit bis zu dem brausenden Liebreiz Limburgs, von den grimmigen Delta-Werken in Seeland bis zu den Sanddünen auf Texel, ist das Land farbenfreudig, erfrischend und lebensprühend.

Introduction

Dans l'image stéréotype de la Hollande, il y a quand même quelque vérité. C'est un pays de moulins à vent, de tulipes et de sabots - mais il y a plus encore. Il y a de l'eau partout, dans les lacs étendus au nord du pays, dans les fleuves du Rhin, du Leck et du Vecht, traversant la province d'Utrecht, mais aussi dans les innombrables canaux, digues et voies navigables, qui draînent les champs plats et verts.

Qu'ils soient chez eux, au travail ou en voyage, les Néerlandais prennent la vie au sérieux. Et ils ont raison de faire ça, puisqu'un quart du pays a été gagné sur la mer. Ils doivent alors veiller à ce que la mer ne regagne pas ces terres.

La Mer du Nord constitue un danger permanent. Des projets comme l'ambitieux Plan Delta sont développés pour prévenir des inondations désastreuses. La Hollande est donc un pays d'eaux mais également un pays de fleurs. Chaque année, les champs de bulbes en fleurs au sud de Haarlem transforment les polders plats en un kaléidoscope de fleurs de toutes couleurs et variations.

La meilleure manière d'explorer le pays est à byciclette et les Hollandais n'en possèdent moins d'onze millions - presque une par habitant. Partout en Hollande, vous trouverez des pistes cyclables. D'ailleurs, les jeunes comme les vieux prennent les deux-roues, qu'ils habitent la ville ou la campagne, qu'il faisse beau ou qu'il pleuve.

Partout dans le pays on trouve un grand nombre de moulins à vent. Traditionnellement ces moulins étaient utilisés pour le drainage des champs, à présent un nombre sert d'attraction touristique, quelques uns dans leur environnement habituel, quelques uns dans des muséums.

Les Pays Bas sont divisés en douze provinces, chacune différente au point de vue historique, traditions, façon de vivre, ambiance et attractions. Depuis la ville cosmopolite qu'est Amsterdam, jusqu'à la bonhomie au Limbourg, depuis le Plan Delta en Zélande jusqu'aux dunes de sables à Texel, le pays est éclatant, réconfortant et extrêmement énergique.

13 De boven de nevelige weilanden oprijzende molens van Kinderdijk vormen de trots van de Alblasserwaard.
13 The windmills of Kinderdijk rising out of the misty fields, make an impressive sight.
13 Die Windmühlen am Kinderdijk, die aus nebligen Feldern aufsteigen, sind ein imponierender Anblick.
13 Les moulins à vent de Kinderdijk se dressant au milieu des champs brumeux, une vue impressionnante.

Noord-Holland

De naam van de provincie Noord-Holland is eigenlijk misleidend - ze ligt, overigens net als Zuid-Holland, immers in het westen. Hollands is het hier echter zeker, met de uitgestrekte droogmakerijen met weilanden, akkers en bollenvelden, de talloze poldermolens, -sloten en -vaarten, en de propere dorpen met soms nog fraaie, groen-met-witte, houten huisjes.

De historie is in Noord-Holland nog overal zichtbaar en de voormalige Zuiderzeestadjes worden in het seizoen door bussen vol toeristen vanuit Amsterdam bezocht. Vooral Marken en Volendam zijn wegens de nog altijd te bewonderen klederdracht zeer in trek.

De Westfriese stadjes Hoorn en Enkhuizen, in de Gouden Eeuw rijke zeehavens, koesteren in hun centra prachtige 17e-eeuwse koopmanshuizen, luisterrijke raadhuizen, pakhuizen en nog altijd bewoonde hofjes.

Indrukwekkend is de 32 km lange Afsluitdijk, die de Zuiderzee tot IJsselmeer maakte. Circa 6 km ten oosten van Den Oever kan men het monument bewonderen waar in 1932 het laatste stroomgat werd gedicht.

In het toeristenseizoen brengt de boot uit Den Helder enkele malen per dag massa's vakantiegangers en dagjesmensen naar het Noordhollandse eiland Texel. 'Het groene eiland' heeft ze veel te bieden, van de oude dorpjes, de uitgestrekte stranden en de duingebieden, tot natuurreservaten als de intact gehouden duindoorbraak de Slufter.

North Holland

North Holland is not in the northern part of the country at all, but one of two provinces to the west - the other being South Holland. It is a pretty region and typically Dutch, with wooden windmills, tiled rooftops, and green fields traversed by dead-straight dykes.

History is very much alive in North Holland, and the old fishing villages which border the IJsselmeer now attract busloads of day-trippers from Amsterdam. They come to admire the many locals wearing traditional dress; lace-winged caps for women and baggy trousers for men.

Further north, Hoorn and Enkhuizen, bustling seaports in the seventeenth century, now offer secluded canals and almshouses. The massive nineteen-mile-long Afsluitdijk (enclosing dyke) joins North Holland with the shores of Friesland.

Texel is known to the Dutch as 'Holland in miniature', and every year boatloads of tourists cross the sea from Den Helder to explore this alluring island. From the wild, unbroken dunes of De Slufter to the dense green woodlands and heavily dyked fields, Texel retains its charm, while carrying on in its continual fight to reclaim land from the sea.

Nordholland

Nordholland liegt ganz und gar nicht im Norden der Niederlande, sondern ist eine der beiden westlichen Provinzen - die andere heisst Südholland. Est ist eine liebreizende und typisch holländische Region, mit ihren hölzernen Windmühlen, Ziegeldächern und grünen Feldern, die von schnurgeraden Gräben durchzogen werden.

Nordholland ist sich seiner Vergangenheit voll bewusst und die alten Fischerdörfer am IJsselmeer sind jetzt eine Attraktion für Ausflügler, die in vollen Bussen aus Amsterdam anreisen. Sie kommen um die Einheimischen in ihren traditionellen Trachten zu bewundern; Frauen tragen flügelförmige Spitzenumhänge und die Männer bauschige Hosen.

Hoorn und Enkhuizen, etwas nördlicher, die im siebzehnten Jahrhundert geschäftige Hafenstädte waren, haben heutzutage nur abgelegene Kanäle und Altersheime anzubieten. Der eindruckvolle, 32 km lange Abschlussdeich verbindet Nordholland mit der friesischen Küste.

Texel wird unter Niederländern als 'Klein-Holland' bezeichnet und jedes Jahr überqueren Tausende von Touristen die Meerenge von Den Helder aus auf Fährschiffen, um diese bezauberde Insel zu erkunden. Texel bleibt immer charmant, von den ununterbrochenen Dünen von 'De Slufter' aus, bis zu den dichten, grünen Waldungen und den mit vielen Gräben durchzogenen Feldern, und selbst in ihrem unaufhörlichen Kampf, um den Meer Land abzugewinnen.

Hollande du Nord

La Hollande du Nord ne se situe pas du tout au nord du pays, mais c'est l'un des deux provinces à l'ouest - l'autre étant la Hollande du Sud. C'est une belle région typiquement Hollandaise. On y trouve des moulins à vent en bois, des toîts couverts de tuiles et des champs verts, traversés par des digues droites.

L'histoire continue à vivre en Hollande du Nord. Les anciens villages de pêcheurs aux bords du Lac de l'IJssel sont à présent une attraction et sont envahis par des touristes venant d'Amsterdam. Les touristes viennent spécialement pour voir les costumes traditionnels; une coiffe pour les femmes et des pantalons bouffants pour les hommes.

Plus en direction du nord se trouvent les villes de Hoorn et d'Enkhuizen, des ports de mer affairés pendant le dixseptième siècle. Maintenant on y trouve des canaux et des maisons de retraite. L'Afsluitdijk d'une longueur de 32 km constitue une voie de communication entre la Hollande du Nord et le littoral de la Frise.

L'île de Texel est connu aux Hollandais comme étant les Pays Bas en miniature. Chaque année l'île est envahie de touristes, venant par bac depuis le port de Den Helder, et qui cherchent à mieux connaître cet île fascinante. Depuis les dunes ininterrompues de 'De Slufter' jusqu'aux champs verts entourés de digues, l'île de Texel garde son charme, quoique la lutte contre les eaux afin de gagner de la terre sur la mer, ne cesse pas un seul instant.

15 Molens en houten huisjes aan de pittoreske Zaanse Schans bij Zaandijk.
15 Attractive Zaanse Schans windmills and wooden houses.
15 Reizvolle Windmühlen und Holzhäuser, die sog. Zaanse Schans.
15 Les moulins à vent de Zaanse Schans et des maisons en bois.

16 De rijkversierde gevel van het Westfries Museum – schitterende herinnering aan de tijd dat Hoorn een belangrijke Hollandse zeehaven was – vormt hier het decor van een typisch Nederlands evenement: de intocht van Sinterklaas.
16 The ornate facade of the Westfries Museum is a beautiful reminder of the days when Hoorn was a major Dutch seaport. But even in the 20th century 'Sinterklaas' visits the children early December every year.
16 Die reich verzierte Fassade des Westfriesischen Museums ist eine wunderschöne Erinnerung an die Zeit, als Hoorn ein wichtiger niederländischer Seehafen war. Die Sitten sind aber dieselben geblieben, denn auch im zwanzigsten Jahrhundert kommt Sankt Nikolaus jedes Jahr im Dezember zu den Kindern.
16 La façade du Westfries Museum constitue un souvenir à l'époque où la ville de Hoorn était un port de mer important. A nos jours, Sint Nicolas rend visite aux enfants au mois de Décembre.

17 In het waterrijke Noord-Holland zijn lieflijke taferelen als een statige familie zwanen tegen een achtergrond van bloeiende krokussen, bepaald geen zeldzaamheid.
17 Six swans line up in front of a ribbon of crocuses in North Holland.
17 Sechs Schwäne warten in Reih und Glied vor einer Reihe von Krokussen in Nordholland.
17 Six cygnes s'alignant devant un ruban de crocus en Hollande du Nord.

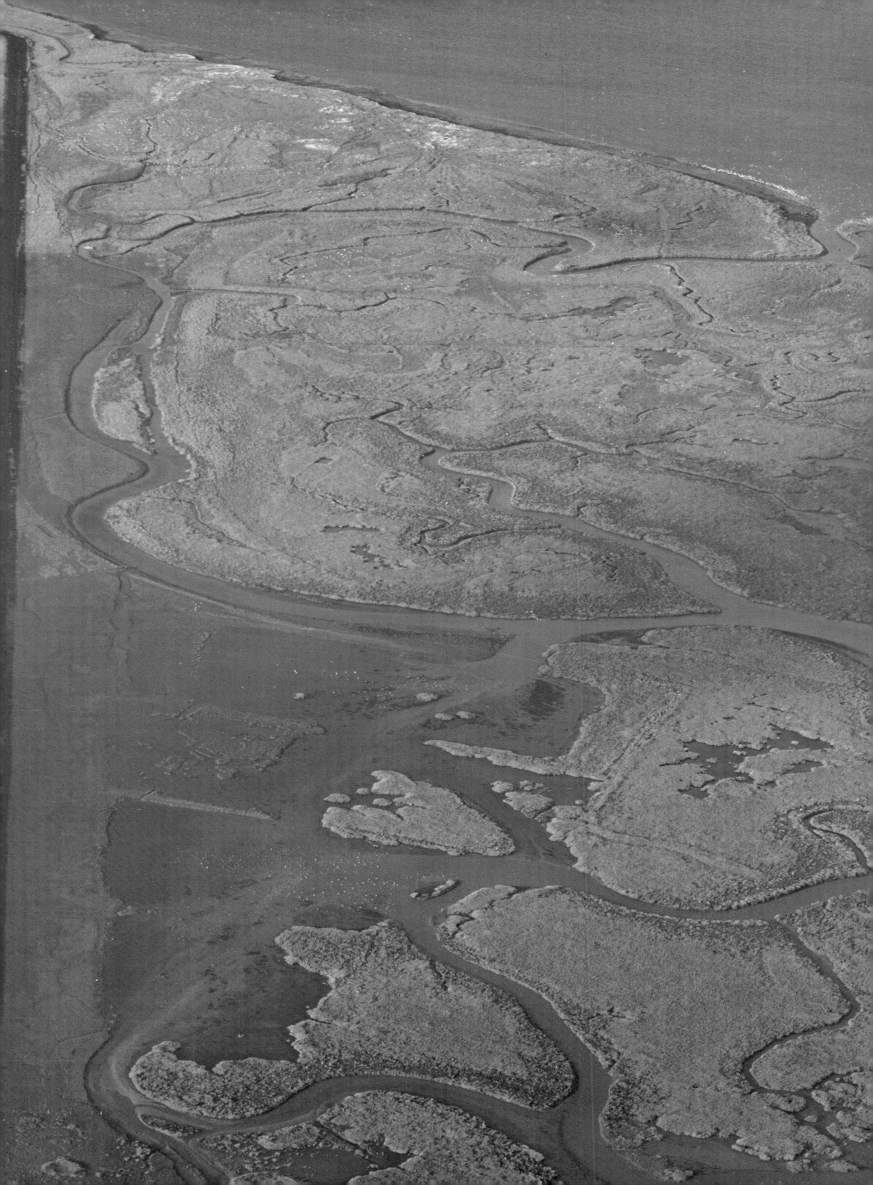

18-19 Het Buitenmuseum in Enkhuizen herbergt een keur van historische huizen, boerderijen en werkplaatsen uit steden en dorpen rond de voormalige Zuiderzee.
18-19 These historic buildings and quiet canals in the Zuiderzee Museum at Enkhuizen preserve a traditional way of life.
18-19 Dieses historische Gebäude und die stillen Kanäle in dem Zuiderzee-Museum in Enkhuizen gewähren Einblick in die traditionelle Lebensweise.
18-19 Ces bâtiments historiques et canaux paisibles étalés dans le Zuiderzee Museum à Enkhuizen préservent une façon de vivre traditionnelle.

20-21 Deze schorren maken deel uit van het voortdurend veranderende landschap van het Noordhollandse waddeneiland Texel.
20-21 The pretty island of Texel is forever changing its shape - here, shifting sand and water shows new land in the making.
20-21 Die hübsche Insel Texel nimmt ständig eine andere Form an - durch Flugsand und Wasser entsteht Neuland.
20-21 L'île de Texel continuellement change de forme - ici, par le mouvement du sable et de l'eau on voit la création de nouvelles terres.

22-23 De 32 km lange Afsluitdijk vormt een prachtig staaltje Nederlands vakmanschap op het gebied van de waterbouwkunde.
22-23 The 19-mile-long Afsluitdijk is a masterpiece of modern engineering and links North Holland with Friesland.
22-23 Der 32 km lange Abschlussdeich ist ein Meisterwerk moderner Technik. Er verbindet Nordholland und Friesland miteinander.
22-23 L'Afsluitdijk d'une longueur totale de 32 km est un chef-d'œuvre de génie civil et constitue une voie de communication entre la Hollande du Nord et la Frise.

24 Een kleurrijk uitgedoste vrouwelijke fanfare paradeert over het vroegere visserseiland Marken.
24 These gaily coloured costumes are typically Dutch. Here, a band of locals parade in Marken.
24 Diese fröhlichen, bunten Trachten sind typisch holländisch. Hier marschiert ein lokales Musikkorps in Marken vorbei.
24 Les couleurs gaies de ces costumes sont typiquement Hollandais. Ici on voit la fanfare locale de Marken.

25 Het monument van Hans Brinker in Spaarndam houdt de illusie van de toeristen levend over zijn redding van Holland door zijn vinger in een gat in de dijk te stoppen.
25 The statue of Hans Brinker in Spaarndam. According to legend, he saved Holland from a flooding disaster, by stopping a hole in the dyke with his finger.
25 Das Standbild von Hans Brinker in Spaarndam. Einer Legende zufolge steckte er einen Finger in ein Loch im Deich und rettete die Niederlande auf diese Weise vor einer Überschwemmungskatastrophe.
25 La statue de Hans Brinker à Spaarndam. La légende veut qu'il a préservé la Hollande d'une inondation désastreuse en mettant son doigt dans la brèche afin d'empêcher l'eau de venir à travers la digue.

26 Het traditionele wegen van kaas op de
vrijdagse kaasmarkt in Alkmaar.
26 Traditional weighing of cheese at the
Alkmaar Cheese Market.
26 Auf dem Käsemarkt in Alkmaar wird
Käse auf die traditionelle Weise gewogen.
26 Pesage traditionnel du fromage au
marché de fromage à Alkmaar.

27 Dit laat-gotische koopmanshuis met trapgevel herbergt het Edams Museum.
27 This distinctive step-gabled building, in the heart of Edam, now houses a fascinating museum.
27 Dieses charakteristische Gebäude mit stufenförmiger Fassade steht im Herzen Edams. Zur Zeit beherbergt es ein faszinierendes Museum.
27 Ce bâtiment avec sa façade en pignon au centre d'Edam, héberge à présent un musée fascinant.

Amsterdam

Het historisch centrum van Amsterdam wordt van oudsher omsloten door vier grachtengordels, overkluisd door meer dan duizend bruggen. De meest ontspannen wijze om de stad te verkennen is per rondvaartboot. Vanaf het water heeft men het fraaiste gezicht op de klok-, hals-, trap- en tuitgevels, de fraaie vensters en luiken, de pakhuizen en de nauwe steegjes.

Het natuurlijk middelpunt van de stad is de Dam, met zijn Nationaal Monument, het Koninklijk Paleis en de Nieuwe Kerk. De nabijgelegen Oude kerk grenst aan de 'rosse buurt', waar de dames van plezier in hun roodverlichte etalages tonen dat de gemakkelijke sfeer waarom Amsterdam befaamd - of berucht - is, nog sterk leeft.

Wie Amsterdam aandoet, moet ten minste één van haar vele internationaal vermaarde museums - zoals het Rijksmuseum, het Van Gogh Museum, het Stedelijk Museum of het Rembrandthuis - bezoeken. Gezellig trefpunt van zowel Amsterdammers als toeristen is het Leidseplein met zijn terrasjes en talloze lichtreklames.

Amsterdam is een wereldstad, maar bovenal een stad waar mensen wonen: op straat heerst altijd een gezellige drukte, elke buurt heeft zijn markten, men ontmoet elkaar in de bruine cafés en de kooplieden van de drijvende markt bij de Munt doen goede zaken met hun in ons land zo geliefde planten en bloemen.

Amsterdam

The beautiful city of Amsterdam has always been dominated by water and four canals ring its historic centre, crossed by over 1000 bridges. The most relaxing way to explore the city is by boat - only then can you appreciate the rich jumble of bell gables, neck gables, hoisting beams, windows and doors, adorning even the most unsophisticated of buildings.

The natural hub of the city is Dam Square, with its imposing Royal Palace and New Church. Its nearby rival, the Old Church straddles the edge of the Red Light District where ladies of the night sit behind dimly lit windows, showing that the easy-going atmosphere, for which Amsterdam is famous - or infamous - is very much alive.

Visiting at least one of the city's many exciting museums is essential; the Rijksmuseum houses Rembrandt's famous *Night Watch* and the Van Gogh Museum is of international renown. Leidseplein provides a contrast to all this culture; it is a popular rendez-vous for Amsterdammers and tourists alike, who converge there to soak in the relaxed atmosphere and look at the impromptu light displays.

Amsterdam is very much a residential city and a major pull has to be its people and their homes; windows crowded with pot plants, groups of friends in the brown bars, quietly sipping their beers or genevers, and the resilient stallholders of the floating market, selling the one thing the Dutch love the most - flowers.

Amsterdam

In der eindrucksvollen Stadt Amsterdam hat das Wasser schon immer eine überherrschende Rolle gespielt und ihr historisches Zentrum is von vier Kanälen umringt, die von mehr als 1000 Brücken überspannt werden. Am bequemsten lässt sich die Stadt per Boot erkunden, denn nur dann wird man das reiche Durcheinander von Glockengiebelhäusern, Halsgiebelhäusern, Hebebalken, Fenstern und Türen, die sogar die einfachsten Gebäude schmücken, zu würdigen verstehen lernen.

Der natürliche Mittelpunkt der Stadt ist der Dam, ein weiter Platz mit dem Königlichen Palast und der Neuen Kirche. Ihr nächstliegender Gegenpol, die Alte Kirche, breitet sich an der Ecke des Bordellviertels aus, wo die Prostituierten hinter abgeblendeten Fenstern sitzen. Das zeigt, dass die leichtlebige Atmosphäre, für die Amsterdam berühmt, wenn nicht sogar berüchtigt ist, ihre Wirkung noch nicht verloren hat.

Man sollte unbedingt mindestens eines der vielen aufregenden Museen der Stadt besuchen. In dem Reichsmuseum hängt Rembrandts berühmtes Gemälde, die 'Nachtwache', und auch das Van-Gogh-Museum hat internationalen Ruf.

Amsterdam ist sehr deutlich eine Hauptstadt, deren Bevölkerung und Wohnungen die grösste Anziehungskraft ausüben. Man sieht Fensterbretter, die mit Topfpflanzen überladen sind; Gruppen von Freunden in den 'Braunen Cafés', die schweigsam an ihrem Bier oder Genever nippen und den schwimmenden Markt, dessen überall auftauchende Budenbesitzer eine Ware verkaufen, die der Holländer am meisten liebt, nämlich Blumen.

Amsterdam

La ville d'Amsterdam a toujours été dominée par l'eau, quatre canaux cerclent le centre historique, et il y a plus de milles ponts. La manière la plus aisée pour explorer la ville est de prendre un bateau, alors vous pourrez apprécier les différentes façades en pignon et en gorge, les poutres de hissage, les fenêtres et les portes, embellissants même les bâtiments les plus ordinaires.

La Place Dam constitue le centre naturel de la ville, encadrée par la Palais Royal et l'Eglise Nouvelle. Le rival de celle-ci, l'Eglise Ancienne est construite au coin du quartier rouge, où les femmes publiques s'exposent derrière des fenêtres mal éclairées. Ceci, entre autres, montre que la ville n'a encore rien perdue de sa réputation.

On devra au moins visiter une fois l'un des musées fascinants; le Rijksmuseum expose un fameux tableau de Rembrandt, la Ronde de Nuit. Le Musée Van Gogh a une réputation internationale. Le Leidseplein est en contraste criant avec toutes ces expressions de culture; c'est un lieu de rendez-vous pour les Amstellodamiens et pour les touristes, qui s'y convergent dans le but de savourer l'ambiance décontractée et de contempler les affiches lumineuses.

Amsterdam est clairement une ville résidentielle, sa population et leurs maisons attirent encore d'avantage; les fenêtres pleines de plantes vertes, des groupes d'amis dans les cafés, buvants tranquillement de leurs bières ou genièvres, ainsi que les commerçants du marché flottant, qui vendant ce que l'Hollandais aime le mieux - des fleurs.

29 Amsterdam op haar mooist - de
Magere Brug, gevangen in een krans van
goudkleurige lichtjes.
29 Amsterdam at its most beautiful - the
Magere Brug, framed in a halo of golden
lights.
29 Amsterdam, so schön wie noch nie.
Die Magere Brücke, eingerahmt in einen
Lichthof aus goldenen Lampen.
29 Amsterdam se montrant au plus beau
- le pont Magere Brug, entouré d'un halo
de lumières dorées.

30 Amsterdam telt meer dan duizend
bruggen. Deze ligt op de plaats waar
Keizersgracht en Reguliersgracht elkaar
ontmoeten.
30 Amsterdam has over 1000 bridges.
This is the one at the junction of
Keizersgracht and Reguliersgracht.
30 Amsterdam hat mehr als 1000
Brücken. Diese Brücke verbindet die
Keizersgracht mit der Reguliersgracht.
30 Amsterdam héberge plus de 1000
ponts. Celui-ci est le pont à la bifurcation
du Keizersgracht et le Reguliersgracht.

31 De spiegeling van grachtenhuizen in
het water zorgt voor een bijna
surrealistische beeltenis.
31 Distorted reflections in the water lend
an almost surreal quality to these
canalside houses.
31 Das verzerrte Spiegelbild dieser
Grachtenhäuser im Wasser, lässt eine
fast surreale Szenerie entstehen.
31 Les reflets déformés de ces maisons
dans l'eau donnent une impression
presque surréaliste.

32 Deze sierlijke huizen aan de
Prinsengracht zijn kort geleden weer in
hun oude glorie hersteld.
32 These elegant homes which border de
Prinsengracht, have been recently
restored to their former glory.
32 Diese eleganten Herrenhäuser an der
Prinsengracht sind erst kürzlich in ihrer
früheren Pracht wiederhergestellt worden.
32 Ces belles maisons en bordure du
Prinsengracht ont été restaurées
récemment..

33 Een karakteristieke Amsterdamse
klokgevel.
33 A typical gabled house in Amsterdam.
33 Ein charakteristisches Giebelhaus in
Amsterdam.
33 Une façade en pignon à Amsterdam.

34-35 's Winters biedt de Amsterdamse
Jordaan, gezien vanaf de Westertoren,
door het samenspel van sneeuw en licht
een bijna sprookjesachtige aanblik.
34-35 The interplay of snow and light
gives a magical, almost fairy-tale quality,
to this view from the West Church.
34-35 Das Wechselspiel von Schnee und
Licht bietet vom Westturm aus einen
magischen, beinahe märchenhaften
Anblick.
34-35 L'effet combiné de la neige et de la
lumière donnent quelque chose de
presque féerique à cette vue prise depuis
la tour de l'église Westerkerk.

36 Een dreigende onweerslucht werpt
een surrealistisch licht over deze
eeuwenoude gevels aan de
Keizersgracht.
36 Charming houses on the Keizersgracht
stand out against a stormy sky.
36 Charmante Häuser an der
Keizersgracht heben sich gegen die
dunklen, drohenden Wolken hell ab.
36 Les maisons du Keizersgracht contre
un ciel tempétueux.

37 Een historisch grachtepakhuis is op
vernuftige wijze tot comfortabele
woonruimte verbouwd.
37 This canalside warehouse has been
ingeniously converted into new homes.
37 Dieses Lagerhaus am Kanal ist mit
grosser Phantasie und Einfallsreichtum in
neue Wohnungen umgewandelt worden.
37 Cet entrepôt a été transformé en
nouvelles maisons de façon ingénieuse.

41 Het Begijnhof vormt een groene oase van rust in het hartje van de Amsterdamse binnenstad.
41 The Begijnhof - a peaceful green oasis, in the heart of town.
41 Der stimmungsvolle Begijnhof - eine friedliche, grüne Oase im Herzen der Stadt.
41 Le Begijnhof - une oasis de paix et de verdure, au centre de la ville.

42 Een Amsterdamse tram passeert de Nieuwe Kerk, waarin veel tentoonstellingen worden georganiseerd.
42 One of the city's many yellow and grey trams passes in front of the New Church.
42 Eine der vielen gelben und grauen Strassenbahnen der Stadt fährt an der Neuen Kirche vorbei.
42 L'un des nombreux trams jaunes et gris passant devant l'Eglise Nouvelle.

43 De met de keizerskroon getooide toren van de Westerkerk rijst hoog boven de nauwe straatjes van de Jordaan.
43 The beautiful tower of the West Church soars above the narrow streets of the Jordaan.
43 Der wunderschöne Turm der Westerkerk überragt die engen Strassen des Jordaan-Viertels.
43 La tour du Westerkerk d'une beauté exceptionnelle s'élève au dessus des rues étroites du quartier Jordaan.

44 Het Rijksmuseum, over het
Museumplein heen gezien vanaf het dak
van het Concertgebouw.
44 An unusual view of the Rijksmuseum,
from the Amsterdam Concert Hall.
44 Ein ungewöhnlicher Blick auf das
Reichsmuseum vom Dach des
Amsterdamer Concertgebouw aus.
44 Une vue inhabituelle sur le
Rijksmuseum, prise depuis le toît de la
salle de concert d'Amsterdam.

45 De statige voorgevel van het Koninklijk
Paleis is onmiddellijk aan de Dam
gesitueerd.
45 The Royal Palace fronts directly onto
Dam Square - a stately building in the
heart of the city.
45 Der Königliche Palast, ein imposantes
Gebäude im Herzen der Stadt, liegt
unmittelbar am Damplatz.
45 La façade du Palais Royal, donne
directement sur la Place Dam, un
bâtiment imposant au cœur de la ville.

46 Het Leidseplein biedt volop
gelegenheid om even uit te rusten van de
hectische drukte in de Amsterdamse
winkelstraten.
46 Leidseplein in the centre of
Amsterdam offers a relaxed and friendly
environment to wile away the day.
46 Der Leidseplein, im Zentrum
Amsterdams, ist eine gemütliche und
freundliche Umgebung, um sich die Zeit
zu vertreiben.
46 Le Leidseplein en plein centre
d'Amsterdam, offrant détente et
amusement à la fin d'un jour de travail.

47 Koninginnedag is een feest dat de
Amsterdammers op straat vieren, waarbij
iedereen het zijne of het hare bijdraagt
aan de uitbundige feestvreugde.
47 On Queen's Day, holiday groups of
exuberant Amsterdammers crowd the
streets with gaily painted faces.
47 An dem Geburtstag der Königin sind
die Strassen vollgestopft mit feiernden,
überschwenglichen Amsterdamern,
deren Gesichter häufig in fröhlichen
Farben angemalt sind.
47 L'anniversaire de la Reine est le jour
où des groupes d'Amstellodamiens, les
visages peints, peuplent les rues.

*48 De roemruchte Amsterdamse 'rosse
buurt' bij nacht.
48 Amsterdam's notorious Red Light
District, in the small hours.
48 Amsterdams berüchtigtes
Prostituiertenviertel am frühen Morgen.
48 Le fameux Quartier Rouge
d'Amsterdam pendant les heures de nuit.*

49 Amsterdam telt enkele poffertjeskramen, waar men zich de rijkelijk van suiker en roomboter voorziene lekkernij goed laat smaken.
49 This Poffertjes cafe is a familiar sight in Amsterdam. The small round pancakes are freshly made and served with mounds of butter and sugar.
49 Dieses Poffertjes-Café ist ein altgewohnter Anblick in Amsterdam. Die kleinen, runden Eierkuchen werden frisch gebacken unt mit viel Butter und Puderzucker serviert.
49 Ce café où on sert des merveilles ne constitue pas une exception à Amsterdam. Les merveilles sont couvertes de sucre glace et de beurre.

50 In de bruine cafés proeft men de gezellige sfeer, die zo karakteristiek is voor de ouderwetse Amsterdamse etablissementen.
50 The brown bars are perhaps the best places to experience the intimate 'gezellig' atmosphere, so loved by the Dutch.
50 Die sog. 'Braunen Cafés' sind vielleicht der beste Ort, um die intime, gemütliche Sphäre zu erleben, die bei den Holländern so beliebt ist.
50 Les bistrots respirent une ambiance agréable, telle que les Hollandais apprécient. Ce sont par conséquent les endroits les plus appropriés quand on cherche à gouter à cet atmosphère.

51 het alternatieve Amsterdamse leven speelt zich tegenwoordig vooral in de Jordaan af en openbaart zich in de fel beschilderde cafés en winkels in de smalle straatjes.
51 The alternative side to Amsterdam life can be seen in the Jordaan, where brightly painted cafes and shops line the narrow streets.
51 Die alternative Seite des Lebens in Amsterdam zeigt sich im Jordaan, wo grell bemalte Cafés und Läden die engen Strassen säumen.
51 Le côté alternatif de vie se montre au Jordaan, où les façades des cafés et des boutiques, peintes en couleurs vives s'alignent dans les rues étroites.

52 De Munttoren domineert de kleurige
drijvende bloemenmarkt aan de Singel.
52 The colourful blooms of the floating
flower market on the Singel, overlooked
by the Munttoren.
52 Die farbenfreudigen Blumen des
schwimmenden Blumenmarkts auf dem
Singel, vom Münzturm (Munttoren) aus
gesehen.
52 L'éclat de couleurs du marché à fleurs
flottant dans le Singel, contemplé à partir
de la tour Munttoren.

53 Twee jongens aanschouwen het
vredige grachttafereeltje.
53 Two lads survey the peaceful
canalside scene.
53 Zwei junge Burschen beobachten die
friedliche Szenerie am Kanal.
53 Deux garçons regardent les activités
paisibles qui se déployent en bordure
des canaux.

Zuid-Holland en Utrecht

Met zowel Rotterdam als Den Haag binnen haar grenzen is Zuid-Holland de dichtstbevolkte provincie en haar steden vormen het leeuwedeel van de Randstad. Wereldvermaard zijn de bollenvelden in het noordwesten, die vanaf half april met hun schitterend getinte tulpen, hyacinten en narcissen een bontgekleurde lappendeken over het vlakke landschap uitspreiden.

De steden zijn al even bekend: van het koortsachtig bedrijvige Rotterdam - de grootste zeehaven ter wereld - tot de verfijnde rust van 's-Gravenhage, de residentie van de koningin en zetel van de regering. Verder van de kust kopen de toeristen gretig het beroemde Delfts blauw in het schilderachtige Delft, wordt er kaas gegeten in Gouda en fotografeert men de 18 molens van Kinderdijk in de Alblasserwaard.

Utrecht, in het hart van Nederland, is onze kleinste provincie. Het is vooral bekend om de historische stadjes, kastelen en buitenplaatsen, en om de prachtige natuur. In de 17de eeuw hadden de rijke Amsterdamse kooplieden er hun zomerverblijven langs de Vecht. De gelijknamige hoofdstad is vanouds economisch en politiek van nationaal belang. Tegenwoordig komen het oude en het moderne naast elkaar voor en zijn de kelders van de 'werven' langs de Oude Gracht veranderd in knusse cafés en restaurants, die deze universiteitsstad internationale allure geven.

South Holland and Utrecht

With both Amsterdam and The Hague within its confines, South Holland is the most densely populated province in the country and its towns and cities form the lion's share of the conurbation known as the Randstad. The bulb fields in this province are world-famous; every year, from mid-April onwards, the check pattern of brilliantly coloured tulips, hyacinths and daffodils stretches far into the distance.

The cities are equally renowned; from the hectic atmosphere of crazy commercial Rotterdam, which has the largest port in the world, to the refined tranquillity of The Hague, residence of the queen and the seat of government in Holland. Inland, the picturesque town of Delft draws tourists anxious to buy the distinctive blue-and-white china; Gouda is famous for its cheese; and in Kinderdijk, in the south, nineteen windmills dominate the skyline.

Utrecht is the smallest province in Holland and sits in the very centre of the country. It is particularly known for its historic towns and castles and beautiful countryside. In the seventeenth century it was a popular retreat for Amsterdam merchants who built imposing mansions by the side of River Vecht. The provincial capital is Utrecht, historically an important economic and political mainstay of the country. Nowadays, the old and the new exist alongside each other and waterside cellars which border the Oude Gracht have been ingeniously converted into unusual cafes and restaurants, lending an international feel in this otherwise most Dutch of cities.

Südholland und Utrecht

Südholland ist, mit Rotterdam und Den Haag innerhalb seiner Grenzen, die am dichtesten bevölkerte Provinz des Landes und ihre Gross- und Kleinstädte haben den Löwenanteil an der Konurbation, die als 'Randstad' bezeichnet wird. Die Blumenzwiebelfelder in dieser Provinz sind weltberühmt; jedes Jahr, ab Mitte April, erstreckt sich ein buntes Muster vielfarbiger, leuchtender Tulpen, Hyazinthen und gelber Narzissen bis in die weite Ferne.

Die Städte sind genauso berühmt; von der hektischen Atmosphäre des verrückten, handeltreibenden Rotterdams, mit dem grössten Hafen der Welt, bis zu der kultivierten Stille Den Haags, der Königlichen Residenz und Sitz der niederländischen Regierung. Die malerische Provinzstadt Delft, im Innern der Provinz, wirkt anziehend auf Touristen, die die charakteristischen blauweissen Delfter Fayencen kaufen wollen. Gouda ist für seinen Käse berühmt und in Kinderdijk, im Süden der Provinz, wird der Horizont von 19 Windmühlen beherrscht.

Utrecht ist die kleinste Provinz der Niederlande und liegt im Mittelpunkt des Landes. Sie ist insbesondere für ihre historischen Städte, Schlösser und ihre wunderschöne Landschaft bekannt. Im siebzehnten Jahrhundert war diese Gegend ein allgemein beliebter Zufluchtsort für die Kaufleute aus Amsterdam, die am Ufer der Vechte imposante Herrenhäuser bauten. Die Hauptstadt der Provinz ist Utrecht. Sie ist in historischer Hinsicht die wichtigste wirtschaftliche und politische Stütze des Landes. Heutzutage existieren die alte und die neue Stadt nebeneinander.

La Hollande du Sud et Utrecht

Avec ces deux villes, Rotterdam et la Haye, à l'intérieur de ses limites, la Hollande du Sud est la province avec la population la plus dense du pays. Les villes et villages forment ce qu'on appelle le Randstad. Les champs de bulbes en fleurs dans cette province ont une réputation mondiale; chaque année, à partir du mi-avril, les champs sont en fleurs. On y trouve entre autres des tulipes, des crocus, des hyacinthes et des jonquilles à perte de vue.

Aussi les villes sont bien connues; depuis l'atmosphère hectique du centre commercial de Rotterdam, avec le plus grand port de mer du monde, jusqu'à la tranquillité raffinée de la Haye, la résidence de la Reine et du Gouvernement des Pays Bas. Plus à l'intérieur de la province, la ville pittoresque de Delft, envahie par des touristes désirant acheter les fameux faiences de Delft en bleu et blanc; la ville de Gouda est fameuse pour son fromage; et à Kinderdijk, au sud, on trouve dix-neuf moulins à vent qui dominent l'horizon.

Utrecht est la province la moins étendue de la Hollande et se trouve au centre du pays. La province est connue en particulier à cause de ses villes et chateaux historiques et pour sa belle campagne. Pendant la dixseptième siècle, la province servait de retraite pour les commerçants Amstellodamiens, qui y ont construit de grandes villas aux bords du fleuve Vecht. La capitale provinciale est Utrecht, historiquement une ville d'importance économique et politique. De nos jours, l'ancien et le nouveau se trouvent fraternellement côte à côte, et les caves aux bords de l'Oude Gracht ont été converties de façon ingénieuse en cafés et en restaurants, donnant ainsi un air international à cette ville autrement si typiquement néerlandaise.

55 De historische Domtoren verheft zich hoog boven de straten en cafés van de universiteitsstad Utrecht.
55 The historic Dom Tower soars above the streets and cafes of Utrecht.
55 Der historische Domturm überragt die Strassen und Cafés Utrechts.
55 La tour historique du Dom s'élevant au-dessus des rues et cafés d'Utrecht.

56 Het stadhuis van Gouda heeft opvallende rood-met-witte luiken voor de vensters aan de zijgevels.
56 The side of the Town Hall in Gouda is bedecked with distinctive shutters.
56 Die Seitenfront des Rathauses in Gouda ist mit charakteristischen rotweissen Fensterläden geschmückt.
56 Le côté latéral de l'hôtel de ville de Gouda est orné de contrevents charactéristiques.

57 het Goudse stadhuis werd tussen 1448 en 1459 opgetrokken en is daarmee in oorsprong het oudste gotische raadhuis van ons land.
57 The Gothic Town Hall in Gouda is one of the oldest in the country, dating from 1450.
57 Das gothische Rathaus in Gouda ist eines der Ältesten dieses Landes. Es datiert aus 1450.
57 L'hôtel de ville de Gouda en style Gothique est l'un des plus anciens du pays et date de l'année 1450.

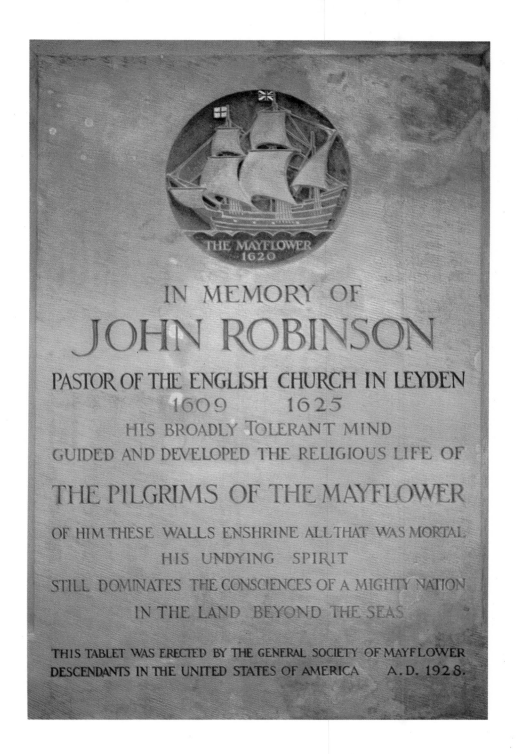

IN MEMORY OF

JOHN ROBINSON

PASTOR OF THE ENGLISH CHURCH IN LEYDEN

1609   1625

HIS BROADLY TOLERANT MIND

GUIDED AND DEVELOPED THE RELIGIOUS LIFE OF

THE PILGRIMS OF THE MAYFLOWER

OF HIM THESE WALLS ENSHRINE ALL THAT WAS MORTAL

HIS UNDYING SPIRIT

STILL DOMINATES THE CONSCIENCES OF A MIGHTY NATION

IN THE LAND BEYOND THE SEAS

THIS TABLET WAS ERECTED BY THE GENERAL SOCIETY OF MAYFLOWER
DESCENDANTS IN THE UNITED STATES OF AMERICA   A.D. 1928.

*58 Het prachtige stadhuis van Leiden
werd in 1929 vrijwel geheel door brand
verwoest. Alleen de
renaissance-voorgevel van zandsteen
kon men behouden.*
*58 Leiden's beautiful Stadhuis was almost
entirely destroyed by fire in 1929. Only
the Renaissance facade remains.*
*58 Das wunderschöne Rathaus Leidens
wurde 1929 fast ganz durch ein Feuer
zerstört. Nur die Renaissance-Fassade
blieb erhalten.*
*58 L'hôtel de ville de Leiden était presque
entièrement détruit par le feu en 1929.
Rien que la façade Renaissance a pu être
sauvé.*

*59 Een plaquette gedenkt John
Robinson, voorganger van de Engelse
Kerk in Leiden, die de Pilgrim Fathers
inspireerde.*
*59 A plaque in memory of John Robinson,
pastor of the English church in Leiden
who inspired the Pilgrim Fathers.*
*59 Eine Plakette zur Erinnerung an John
Robinson, Seelsorger der anglikanischen
Kirche in Leiden, der die Pilgerväter
(englische Puritaner) inspirierte.*
*59 Une plaque en mémoire de John
Robinson, le pasteur de l'église anglicane
à Leiden qui a inspiré les pères pèlerins.*

60-61 Een eenzame schaatser glijdt over
de eindeloze ijsvlakten bij Kinderdijk.
60-61 A lone skater tests the vast
expanse of ice at Kinderdijk.
60-61 Ein einsamer Schlittschuhläufer
prüft die weite Eisfläche in Kinderdijk.
60-61 Un patisseur teste la glace à
Kinderdijk.

62 Vrolijke schilderingen op de trams
verlevendigen het Rotterdamse
stadsbeeld.
62 Gaily coloured trams, such as this,
brighten up the wide streets of
Rotterdam.
62 Mit fröhlichen Farben und Bildern
bemalte Strassenbahnen, wie diese hier,
heitern das Strassenbild Rotterdams auf.
62 Des trams pourvus de peintures en
couleurs vives, comme celui-ci, enjolivent
les rues de Rotterdam.

63 Hollands glorie - een schip bij de
samenkomst van de drie rivieren bij
Dordrecht.
63 Holland in all its glory - a ship at the
junction of the three rivers in Dordrecht.
63 Der Ruhm Hollands - ein Schiff an der
Kreuzung von drei Flüssen.
63 La Hollande en toute sa gloire - un
navire au confluent de trois rivières à
Dordrecht.

64 Een van de Utrechtse kastelen die de
fantasie prikkelen is het Kasteel
Duurstede bij Wijk bij Duurstede.
64 One of the many fairy-tale castles in
Utrecht. This one is situated at Wijk bij
Duurstede.
64 Eines der vielen märchenhaften
Schlösser in der Provinz Utrecht. Schloss
Duurstede steht in Wijk bij Duurstede.
64 L'un des chateaux féeriques à Utrecht.
Celui-ci est situé à Wijk bij Duurstede.

65 Twee vrouwen in traditioneel
Spakenburgs kostuum; in deze oude
vissersplaats houdt men de klederdracht
en de zondagsrust nog in ere.
65 Two ladies in traditional Spakenburg
costume. The starched shoulder-piece is
unique.
65 Zwei einheimische Frauen in der
traditionellen Tracht Spakenburgs. Das
gestärkte Schulterstück ist eine
Seltenheit.
65 Deux femmes habillées en costumes
traditionnels de Spakenburg.

66 Het Vredespaleis, dat uit 1913 dateert
en waarin o.a. het Internationaal
Gerechtshof zetelt, schonk Den Haag
internationale bekendheid.
66 The Peace Palace in The Hague - a
powerful tribute to the futility of war.
66 Der Friedenspalast in Den Haag - ein
mächtiger Tribut an die Sinnlosigkeit des
Krieges.
66 Le Palais de la Paix à La Haye - un
tribut puissant à la futilité de guerre.

67 Het Mauritshuis, hier gezien vanaf de overkant van de Hofvijver, is vermaard om zijn interessante collectie oude meesters.
67 The Mauritshuis, seen here across the Hof Vijver, is known for its fascinating collection of beautiful paintings.
67 Das Mauritshuis, vom Hofvijver aus gesehen, ist wegen seiner faszinierenden Sammlung prachtvoller Gemälde berühmt.
67 Le Mauritshuis, ici vu à travers le Hof Vijver, est connu pour sa collection de tableaux fameux.

68 Het Paleis Noordeinde, het ambtsverblijf van de koningin, is een van de koninklijke paleizen in Den Haag die nog steeds een representatieve functie bezitten.
68 The Paleis Noordeinde, where the queen has offices, is one of several royal buildings in The Hague.
68 Der Königliche Palast an der Noordeinde, in dem die Königin ihre Arbeitsräume hat, ist eines vom mehreren königlichen Gebäuden in Den Haag.
68 Le Palais Noordeinde, où la Reine a ses bureaux, est l'un des bâtiments royaux à La Haye.

69 Het indrukwekkende Haagse Binnenhof dateert uit de middeleeuwen en biedt onderdak aan de beide Kamers van de Staten-Generaal.
69 The impressive Binnenhof in The Hague, dates from medieval times and now houses the country's two-chamber parliament.
69 Der eindrucksvolle Binnenhof in Den Haag datiert aus dem Mittelalter. Heutzutage ist hier der Amtssitz der beiden Kammern des niederländischen Parlaments.
69 Le Binnenhof impressionnant se situant à La Haye date du Moyen Age. A présent ces bâtiments hébergent le Parlement, composé de deux chambres.

70 Op mooie herfstdagen heerst er een verfijnde, ontspannen sfeer op het lommerrijke en enigszins deftige Lange Voorhout in Den Haag.
70 The leafy Lange Voorhout, one of The Hague's more distinguished avenues, has a relaxed atmosphere on this fine autumn day.
70 Das liebliche Lange Voorhout, eine der vornehmen Avenuen Den Haags, atmet an diesem klaren Herbsttag eine zwanglose Atmosphäre aus.
70 Le Lange Voorhout, l'une des avenues de la Haye, respire une atmosphère de détente pendant cette belle journée d'automne.

71 Een van de Mondriaans in 's werelds grootste collectie, die het Haags Gemeentemuseum rijk is.
71 A magnificent Mondrian painting in the Gemeente Museum, The Hague.
71 Ein prachtvoller Mondrian im Haager Gemeindemuseum.
71 Un tableau magnifique de Mondrian, exposé dans le Gemeente Museum à la Haye.

72 In de Haagse Passage kan men sjiek (en droog!) winkelen.
72 The Passage - a distinctive shopping arcade in The Hague.
72 Die Passage - eine vornehme Ladenstrasse in Den Haag.
72 Le Passage - un centre commercial couvert à la Haye.

73 Delfts blauwe tegels en aardewerk zijn over de gehele wereld beroemd.
73 The world-famous blue-and-white china from Delft.
73 Die weltberühmten blauweissen Delfter Kacheln.
73 Les faiences de Delft en bleu et blanc ont une réputation mondiale.

74 Een typisch Delfts stadsgezicht - een fraai rijtje woonhuizen en winkels aan de rand van het water.
74 A typical scene in Delft - an attractive row of houses and shops, fronting a canal.
74 Eine typische Szene in Delft - eine attraktive Häuserreihe und Läden am Kanal.
74 Typique pour la ville de Delft, une rangée de maison et de boutiques en face d'un canal.

75 Een restaurant heeft zijn terrein tot een dekschuit in een van de talrijke Delftse grachten uitgebreid.
75 This boat, on one of Delft's numerous canals, has been ingeniously converted into an exciting restaurant.
75 Dieses Schiff, in einem der zahlreichen Kanäle Delfts, ist mit grosser Geschicklichkeit in ein reizendes Restaurant umgebaut worden.
75 Ce bateau, dans l'un des nombreux canaux de Delft, a été converti en restaurant de façon ingénieuse.

76 Zoals elke rechtgeaarde Nederlandse plaats kent ook Delft zijn kermis; op de achtergrond de Nieuwe Kerk.
76 This gaily coloured octopus is one of the many attractions in Delft, when the fair comes to town.
76 Dieser fröhlich bemalte Oktopode in Delft ist eine der vielen Jahrmarktsattraktionen.
76 Cet octopus pourvu de couleurs gaies n'est qu'une des nombreuses attractions que Delft peut offrir au moment où la foire vient en ville.

77 Delfshaven vormt een van de weinige historische gedeelten van Rotterdam die de bombardementen gedurende de Tweede Wereldoorlog hebben overleefd.
77 Delfshaven - a historic quarter in the midst of commercial Rotterdam.
77 Delfshaven - ein historisches Viertel im Handelszentrum Rotterdams.
77 Delfshaven - un quartier historique au milieu de la ville commerciale de Rotterdam.

78-79 De moderne architectuur krijgt in Rotterdam volop de ruimte - de Paalwoningen in het kort geleden gereedgekomen gebied rond station Blaak.
78-79 Modern architecture at its most adventurous - the Cubes in the recently developed Blaak area of Rotterdam.
78-79 Kühne, moderne Architektur - Kubusbau in dem vor kurzem neuentwickelten Wohngebiet an der Blaak in Rotterdam.
78-79 De l'architecture moderne des maison cubiques construites récemment dans le quartier Blaak à Rotterdam.

80 De torenhoge schoorstenen van Pernis baden 's nachts in een bijna feëeriek licht.
80 The towering chimneys of Rotterdam, dotted by light, seem almost magical after dark.
80 Die turmhohen Schornsteine von Pernis (bei Rotterdam), im Tageslicht nur Tüpfelchen am Horizont, erhalten im Dunkeln ein fast magisches Aussehen.
80 Les cheminées de Rotterdam, touchées par la lumière scintillante, semblent magiques après le coucher du soleil.

.81 De bedrijvige Rotterdamse haven is de grootste ter wereld.
81 Rotterdam's thriving, chaotic port is the biggest in the world.
81 Rotterdams blühender, chaotischer Hafen ist der grösste Hafen der Welt.
81 Le port prospère de Rotterdam est le plus grand port mondial.

82-83 De hijskranen zorgen voor een krachtig silhouet van het Rotterdamse havengebied.
82-83 A stark silhouette of cranes in Rotterdam's docklands.
82-83 Eine starre Silhouette von Kränen in Rotterdams Hafenviertel.
82-83 La silhouette rigide des grues au port de Rotterdam.

Het Zuiden

Zeeland, Noord-Brabant en Limburg grenzen alledrie aan onze zuiderbuur België. Wie Zeeland zegt, zegt Deltawerken, aanschouwelijk gemaakt in de Delta-expo op het voormalige werkeiland Neeltje Jans in de Oosterschelde. Verder is het voor de toerist een provincie van fraaie dorpen en stadjes, standvermaak en watersport.

Het vlakke land aan de noordkant van Noord-Brabant gaat zuidwaarts geleidelijk over in een golvend landschap met beken, rivieren, heidevelden en bossen, met verstrooide boerderijen met rieten daken. De historische stad 's-Hertogenbosch is vermaard om de schitterende gotische architectuur van de St. Janskathedraal en Breda wordt gedomineerd door de indrukwekkende toren van de Grote Kerk.

Limburg is misschien wel de provincie die het meeste afwijkt van de rest van Nederland, en dat geldt dan vooral voor het zuidelijke deel, dat ingeklemd ligt tussen België en Duitsland. Hier vindt men een echt heuvellandschap met kabbelende beekjes, droogdalen, hellingbossen en een bijzondere planten- en dierenwereld. Ook de dorpen, met vakwerkhuizen, kapelletjes en soms een bron, doen 'buitenlands' aan. In de provinciehoofdstad Maastricht, met zijn oude omwalling, waant men zich op het Vrijthof op zomerse dagen door de internationale sfeer haast in Parijs.

The South

Bordering Belgium are the three southern provinces of Holland - Zeeland, North Brabant and Limburg. Zeeland (sea land) consists of three fingers of land which largely lie below sea level. Its claim to fame is the Delta Works; a massive system of dykes and dams, built to prevent the disastrous flooding of 1953 from recurring.

South of Utrecht and into North Brabant, the flat landscape gradually concedes to slightly rolling countryside with streams, heathland and woods dotted with thatched farmhouses. The historic city of Den Bosch is renowned for the fine Gothic architecture of St Janskathedraal and the beautiful tower of Grote Kerk (Great Church) dominates Breda.

Sandwiched between Belgium and Germany is Limburg, Holland's southernmost province. It is quite unlike the rest of the country. The flat fields and windmills here give way to Holland's first and only real hills and the rippling streams, forest paths and wooded inclines feel more like England, than Holland. The ancient walled city of Maastricht lies at the foot of the province and of the country. Its fringes meet the Belgium border and Germany is only a short distance away, which possibly explains the city's marvellous international atmosphere.

Der Süden

Angrenzend an Belgien liegen die drei südlichen, niederländischen Provinzen: Seeland, Nordbrabant und Limburg. Seeland (das Land am Meer) besteht aus drei Landzungen, die grösstenteils under dem Meeresspiegel liegen. Ihren Ruhm hat Seeland den Delta-Werken zu verdanken. Dabei handelt es sich um ein massives System von Deichen und Dämmen, die dazu errichtet wurden, das Land vor einer verhängnisvollen Überschwemmungskatastrophe, wie 1953, zu schützen.

Südlich von Utrecht und bis in Nordbrabant hinein, geht die ebene Landschaft nach und nach in eine leicht hügelige Gegend mit Flüssen, Heideland und Wäldern über, die mit Stroh bedeckten Landhäusern übersät ist. Die historische Stadt 's-Hertogenbosch (kurz Den Bosch genannt) ist für die feine gothische Architektur ihrer Kathedrale (St. Janskerk) berühmt. Der schöne Turm der Grote Kerk dominiert Breda.

Eingepfercht zwischen Belgien und der Bundesrepublik Deutschland liegt Limburg, die südlichste der niederländischen Provinzen. Sie ist ganz anders als das übrige Land. Die flachen Felder und Windmühlen machen hier Platz für Hollands erste und einzige Hügel und die dahinplätschernden Gewässer, die Waldwege und bewaldeten Abhänge lassen eher an England denken als an Holland. Die uralte, ummauerte Stadt Maastricht liegt am Fusse der Provinz und des Landes. Ihre Randbezirke grenzen an Belgien und auch die Bundesrepublik Deutschland ist nicht weit entfernt, woraus sich vielleicht die erstaunliche internationale Ausstrahlung dieser Stadt erklären lässt.

Le Sud

Les trois provinces au sud des Pays Bas sont limitrophes de la Belgique - la Zélande, le Brabant et le Limbourg. La Zélande (merre terre) consiste de trois bras, s'étendant largement en dessous du niveau de la mer. Leur fièrté est le Plan Delta; une vaste construction de digues et d'écluses, construits pour prévenir une autre inondation désastreuse, comme il a été le cas en 1953.

Au sud d'Utrecht et dans la province de Brabant du Nord, le paysage plat change petit à petit. On trouve des collines, des cours d'eau, des terres de bruyère, et des forêts, et parfois des fermes. La ville historique qu'est Den Bosch est connu pour la Cathédrale de St. Jean en style gothique et la tour du Grote Kerk (Grande Eglise) dominant la ville de Breda.

Entre la Belgique et l'Allemagne se trouve le Limbourg, la province la plus au sud des Pays Bas. C'est presque improbable que cette province constitue le reste du pays. Les champs plats et les moulins à vent devront faire place pour des véritables collines, des courants d'eau, et des sentiers; on s'y croit plutôt en Angleterre qu'aux Pays Bas. L'ancien ville emmurée de Maastricht se trouve dans la zone frontalière. Les quartiers extra-muros touchent la frontière et l'Allemagne n'est pas loin non plus, ce qui explique peut-être l'ambiance internationale régnante dans cette ville.

85 De toren van de Grote Kerk beheerst de omringende straten in Breda.
85 The tower of the Grote Kerk in Breda dominates the surrounding streets.
85 Der Turm der Grote Kerk in Breda dominiert die angrenzenden Strassen.
85 La tour du Grote Kerk à Breda domine les rues environnantes.

86 De St.-Janskathedraal in 's-Hertogenbosch is vermaard om zijn magnifieke gotische architectuur en rijk aan talloze luchtige details.
86 St Janskathedraal in Den Bosch is famous for its exhilarating Gothic architecture.
86 Die Kathedrale in 's-Hertogenbosch, die St. Janskerk, ist wegen ihrer heiteren gothischen Architektur berühmt.
86 La Cathédrale St. Jean à Den Bosch est fameuse à cause de son architecture gothique exubérante.

87 Altijd drukke cafés omzomen het van bomen voorziene Vrijthof in de oude ommuurde provinciehoofdstad Maastricht.
87 Bustling cafes border the tree-lined Vrijthof in the ancient walled city of Maastricht.
87 Geschäftige Cafés begrenzen den Lindenbestandenen Vrijthof in der mit alten Mauern umgebenen Stadt Maastricht.
87 Des cafés affairés peuplent la place Vrijthof dans l'ancien ville emmurée de Maastricht.

88-89 Een karakteristieke aanblik in het
rivierengebied van Nederland - de Maas
is buiten zijn oevers getreden en stroomt
over de omringende uiterwaarden.
88-89 One of the most beautiful scenes in
Holland - the River Maas has burst its
banks and flooded the surrounding
countryside.
88-89 Eine eindrucksvolle Szenerie in
Holland - die Maas ist über die Ufer
getreten und hat die angrenzenden
Ländereien überflutet.
88-89 L'une des plus belles vues en
Hollande - la Meuse ayant rompue et
inondée la campagne aux alentours.

90 Het doolhof van gangen in de
mergelgroeven ten zuiden van Maastricht
trekt toeristen uit de gehele wereld aan.
90 The labyrinth of marl caves, south of
Maastricht, draws tourists from all over
the world.
90 Das Labyrinth der Mergelgruben,
südlich von Maastricht, wird von Touristen
aus der ganzen Welt besucht.
90 Le labyrinthe des grottes marnières au
sud de Maastricht, attire beaucoup de
touristes.

91 Aan landelijke taferelen als dit groepje vakwerkhuizen met vee op de voorgrond is Limburg bijzonder rijk.
91 A typical scene in peaceful, rural Limburg, Holland's southernmost province.
91 Eine typische Szene aus dem friedlichen, ländlichen Limburg, der südlichsten Provinz der Niederlande.
91 Une vue paisible prise dans la province rurale de Limbourg, la province la plus au sud des Pays-Bas.

92-93 De Deltawerken in Zeeland getuigen op indrukwekkende wijze van de voortdurende strijd die Nederland met de zee moet leveren.
92-93 The Delta Works in Zeeland are an impressive tribute to Holland's continual fight against the sea.
92-93 Die Delta-Werke in Seeland sind ein eindrucksvoller Tribut an den ständigen Kampf der Niederlande gegen das Meer.
92-93 Le Plan Delta constitue une contribution impressionnante à la lutte continue contre les eaux.

99 Felgekleurde punters varen nog altijd -
zij het dikwijls met toeristen - door de
dorpsgrachten van Giethoorn, waar
vroeger alle vervoer per boot geschiedde.
99 Brightly coloured boats in the
picturesque water-village of Giethoorn.
99 Grell bemalte Schiffe in dem
malerischen Wasserdorf Giethoorn.
99 Des bateaux peints en couleurs vives
au village pittoresque de Giethoorn,
appelé la Venise des Pays-Bas.

100-101 De vroegere vestingstad Rhenen
rijst op aan de noordelijke Rijnoever.
100-101 The historic fortress town of
Rhenen rises out of the still waters of the
River Rhine.
100-101 Die historische Festungsstadt
Rhenen steigt sozusagen aus dem leise
plätschernden Wasser des Niederrheins
auf.
100-101 La ville forteresse de Rhenen
s'élevant au-dessus des eaux calmes du
Rhin.

102 Het schilderwerk aan huizen en
hekken wordt in Staphorst vaak nog in de
authentieke, vrolijke kleuren uitgevoerd.
102 This decorative house at Staphorst is
traditionally Dutch.
102 Dieses dekorative Haus in Staphorst
hat die traditionelle holländische Bauart.
102 Cette maison décorative à Staphorst
révèle une tradition néerlandaise.

103 Enschede is niet alleen maar
industriestad, zoals te zien is aan deze
schitterende architectuur uit de jaren
dertig.
103 There is more to Enschede than
textiles - as can be seen by this exciting
1930s architecture.
103 Enschede hat mehr zu bieten als nur
Textil - wie dieses reizende Haus zeigt,
das im Baustil von 1930 gebaut wurde.
103 Enschede vous offre beaucoup plus
que de la textile, comme montre cette
architecture datant de l'année 1930.

104 Vol ongeduld wachten kinderen in
het oude centrum van Zutphen op hun
beurt voor een ponyritje.
104 Fair-haired Dutch children eagerly
queue up for pony rides, in Zutphen's
historic centre.
104 Blondhaarige holländische Kinder
stehen im historischen Zentrum Zutphens
in der Reihe, um auf Ponys reiten zu
dürfen.
104 Des enfants hollandais à cheveux
blonds prenant la queue pour un tour à
dos de poney au centre historique de
Zutphen.

105 Het grondig gerestaureerde paleis
Het Loo in Apeldoorn, in 1684 door
stadhouder Willem II gesticht, is
tegenwoordig een nationaal museum.
105 The Palace Het Loo at Apeldoorn.
Historically a popular royal residence, this
now houses a National Museum.
105 Das Schloss Het Loo in Apeldoorn,
war einst der Lieblingsaufenthalt so
mancher Könige und Königinnen. Heute
ist es ein Nationales Museum.
105 Le Palais Het Loo à Apeldoorn.
Auparavant la résidence royale la plus
populaire héberge à présent un musée
national.

106-107 Het voormalige visserseiland Urk is nu opgenomen in de Noordoostpolder, maar behield zijn haven aan het IJsselmeer, die tegenwoordig vooral door de pleziervaart wordt gebruikt.
106-107 Once an island, Urk has now been incorporated into the North-East Polder. Its pretty harbour is still a booming port.
106-107 Die frühere Insel Urk ist jetzt in den Nordostpolder eingemeindet worden, aber der hübsche Hafen ist noch immer ein blühender Handelsplatz.
106-107 Dans le temps, Urk était une île. De nos jours cette île a été incorporée dans le Noord-Oost Polder. Néanmoins, son port prospère toujours.

108 Op de Gelderse Veluwe kan de stadsmens zich nog laven aan de verademende rust van de uitgestrekte bossen en heidevelden.
108 The Veluwe region of Gelderland - a lovely area of shady woods and heathland.
108 Die Veluwe in Gelderland - eine liebliche Landschaft mit schattigen Wäldern und Heideland.
108 La région qu'on appelle Veluwe fait partie de la province Gelderland - une belle région forestière et éricacée.

109 Vermaard is het bloeiende koolzaad
in het voorjaar, dat het nog jonge land met
een vlammend geel tooit.
109 This polder, reclaimed from the
Zuiderzee some while ago, is now
sprinkled with carpets of yellow flowers.
109 Dieser Polder, der schon vor einiger
Zeit der Zuiderzee abgewonnen wurde,
ist jetzt ein sprühender Teppich gelber
Blumen.
109 Ce polder du Zuiderzee est parsemé
de fleurs jaunes.

110-111 Een nog maar pas ingepolderd
stuk grond in Flevoland.
110-111 A polder at a much earlier stage
of reclamation in Flevoland.
110-111 Ein Polder in Flevoland, aus
einem viel früheren Stadium der
Neugewinnung.
110-111 Un polder au Flevoland, pendant
une phase de réclamation.

112-113 De machtige torens van Kampen
rijzen hoog op aan de oever van de
IJssel.
112-113 The towering spires of Kampen,
sedately rising out of the River IJssel.
112-113 Die hohen Turmspitzen von
Kampen steigen sozusagen aus der
IJssel auf.
112-113 Les flèches dominantes de
Kampen, s'élevant sobrement au-dessus
de l'IJssel.

Het Noorden

De drie noordelijkste provincies hebben ieder hun eigen charme, maar wat ze gemeen hebben is de landelijke rust die er nog in en rond de plaatsen heerst. Tussen de soms maar enkele kilometers van elkaar verwijderde dromerige dorpjes liggen de vruchtbare akkers en sappige weilanden, doorsneden door sloten, vaarten en kanalen, en ongerepte stukjes natuur, variërend van door riet omzoomde meren in Friesland tot heidevelden in Drenthe.

Friesland is altijd onze onafhankelijkste provincie geweest, met een eigen taal en een eigen culturele identiteit. De toeristen kennen het als watersportcentrum bij uitstek, maar het is voor alles het land van het beroemde Friese stamboekvee en de statige stinsen.

Het aan Duitsland grenzende Groningen is de meest agrarische provincie van Nederland. Al vroeg besefte men hier het voordeel van grootschaligheid, wat nog steeds zichtbaar is aan de soms werkelijk kolossale boerenplaatsen in het Westerkwartier en op het Hogeland. Het kloppend hart van de provincie is de gelijknamige hoofdstad met zijn universiteit en levendig centrum.

Drenthe is door zijn natuurlijke ligging en gesteldheid - zand omringd door veen - zeer lang een geïsoleerd gebied geweest. Hierdoor bezit de natuur er nog altijd een ongereptheid die jaarlijks vele duizenden vakantiegangers lokt. Honderden kilometers fietspad maakt het hen mogelijk op ontspannen wijze te genieten van een landschap met akkers, heidevelden, zandverstuivingen, bossen, hakhout, veengebieden, hunebedden en pittoreske dorpen.

The North

The peaceful provinces of Friesland, Groningen and Drenthe are some of the most untouched areas of Holland. Cycle out of any of the dreamy villages and you are immediately surrounded by stretches of misty fields, interrupted only by canals and the occasional clog-footed farmer. Friesland, with its provincial capital Leeuwarden, has always been fiercely independent and the Frisians are proud of their distinctive language, literature and cultural identity. As well as being an important watersports centre, Friesland is famous for its dairy products; and the farmhouses with steeply sloping roofs are surrounded by peacefully grazing cattle.

Groningen, Holland's northernmost province, faces the North Sea and borders Germany in the east. Once again, it is farming country, and local customs, such as the tradition of using richly tapestried rugs as table-cloths, are very much alive. Groningen province is dominated by the cosmopolitan university city of the same name. This provides a lively centre for all the surrounding farms and villages, many of which are built on artificial mounds ('wierden'), as protection against flooding which used to take place.

Once a huge swamp, people are drawn to Drenthe to see the impressive 'hunebedden'; enormous stone boulders, excavated by prehistoric man, to serve as tomb monuments. Some two hundred miles of cycle track wends its way through flat green fields and moors - one of the most peaceful and unchanged areas in the whole of Holland.

Der Norden

Die friedlichen Provinzen Friesland, Groningen und Drenthe sind einige der unberührtesten Gebiete der Niederlande. Wenn man irgendeines der träumerischen Dörfer auf dem Fahrrad verlässt, ist man unmittelbar von nebligen Ackerflächen umgeben, die nur von Kanälen und gelegentlich einem Bauern auf Holzschuhen unterbrochen werden. Friesland, mit der Provinzhauptstadt Leeuwarden, ist schon immer leidenschaftlich unabhängig gewesen und die Friesen sind stolz auf ihre charakteristische Sprache, Literatur und kulturelle Identität. Die Provinz Friesland ist nicht nur ein wichtiges Wassersportzentrum, sondern sie ist auch durch ihre Milchprodukte berühmt. Rund um die Bauernhäuser mit ihren steil abfallenden Dächern sieht man das friedlich grasende Vieh.

Groningen, die nördlichste Provinz der Niederlande, liegt der Nordsee gegenüber und grenzt im Osten an die Bundesrepublik Deutschland. Auch in dieser Provinz wird Landwirtschaft betrieben und die lokalen Bräuche, wie z.B. die Tradition, reichlich mit Gobelinstickerei verzierte Brücken als Tischdecke zu benutzen, sind noch immer im Schwange. Die Provinz Groningen wird von der kosmopolitischen Universitätsstadt gleichen Namens dominiert.

In Drenthe, früher eine riesige Moorlandschaft, besuchen die Touristen heutzutage die Hünengräber (hunebedden). Das sind enorm grosse Steinblöcke, die von prähistorischen Menschen ausgegraben wurden, um als Grabmonument zu dienen. Etwa zweihundert Meilen des Radwegs führen durch flache, grüne Felder und Moore - eine der friedlichsten und unberührtesten Landschaften in ganz Holland.

Le Nord

Les provinces de Friese, Groningue et Drenthe sont les régions les plus naturelles des Pays Bas. Quand vous prenez le vélo et sortez de n'importe lequel de ces villages reveurs et vous vous trouverez au milieu des champs brumeux, n'interrompus que par des canaux. Aussi vous aurez l'occasion de rencontrer un fermier, portant des sabots. La Frise, dont la capitale régionale est la ville de Leeuwarden, a toujours été indépendant et les Frisons sont fiers de leur langue, le Frison, leur littérature et de leur identité culturelle. La province est également le centre de sports nautiques, comme elle est connue pour ses produits laitiers. Aussi on y voit les fermes couvertes de toîts en pente, entourées par des vaches pâturants paisiblement.

Le Groningue, la province la plus nordique des Pays Bas, est limitée par la mer du Nord et à l'est par l'Allemagne. Les activités professionnelles consistent pour la plus grande partie en l'agriculture. Aussi, c'est un pays de traditions; on y utilise jusqu'à présent les tapisseries traditionnelles comme nappes de table. La province de Groningue est également connue pour son université dans la ville, qui d'ailleurs porte le même nom que la province. De par cette présence, le centre de la ville offre une grande diversité d'activités aux fermes et villages aux alentours. Plusieurs fermes sont construites sur des buttes artificielles (wierden), comme protection contre les inondations, dont on souffrait dans le passé.

Drenthe, à l'époque une immense région marécageuse, à présent les 'Hunebedden' constituent une attraction touristique de premier ordre; des grosses pierres roulées, déterrées par des hommes, vivants pendant l'ère préhistorique, servant de monuments funéraires. Quelques deux cent milles de pistes cyclables mènent à travers champs verts et landes bruyères - la région la moins altérée et la plus paisible des Pays Bas.

115 De Friese Elfstedentocht is een
nationaal evenement met vele duizenden
deelnemers.
115 The 'Elfstedentocht' marathon
(skating on frozen waterways) is a popular
event. Here, the long chain of participants
stretches as far as the eye can see.
115 Der Marathonlauf auf Schlittschuhen,
der sog. 'Elfstedentocht', ist ein
populäres, sportliches Ereignis. Hier sieht
man eine unendliche Kette von
Teilnehmern, soweit das Auge reicht.
115 Le circuit des onze villes (le patinage
sur des voies navigables gelées) est un
événement populair. Ici, la file de
participants s'étend hors de portée de la
vue.

116 Met behulp van een krukje maken
toekomstige schaatskampioenen hun
eerste slagen op het gladde ijs.
116 The very young tentatively learning to
skate. A wooden stool provides essential
support.
116 Die ganz Kleinen lernen vorsichtig
Schlittschuhlaufen. Ein Hocker dient als
Stütze.
116 Les enfants très jeunes en
apprentissage. Un tabouret en bois
fournit le support nécessaire.

117 Het 'fierljeppen' of
polsstok-vèrspringen is in Friesland
's zomers minstens even populair als
's winters het schaatsen.
117 Another popular watersport in this
part of the country is Fierljeppen or pole
vaulting.
117 Ein anderer volkstümlicher Sport in
diesem Teil des Landes ist das
'Fierljeppen' bzw. das Stabhochspringen.
117 Un autre sport nautique dans cette
partie du pays est le 'Fierljeppen' ou
sauter à la perche.

118-119 Het 'Skûtsjesilen' – het
hardzeilen met voormalige beurt- en
vrachtschepen - is een jaarlijks gebeuren
op de Friese meren.
118-119 The billowing sails of various
craft dominate this Frisian lake.
118-119 Die bauschigen Segel
verschiedener Schiffe (der sog.
'Skutsjes') dominieren hier auf diesem
See in Friesland.
118-119 Les voiles des bateaux dominent
ce lac Frise.

2450

F